mis desayunos

HEALTHYCORDE

Cordelia Garza

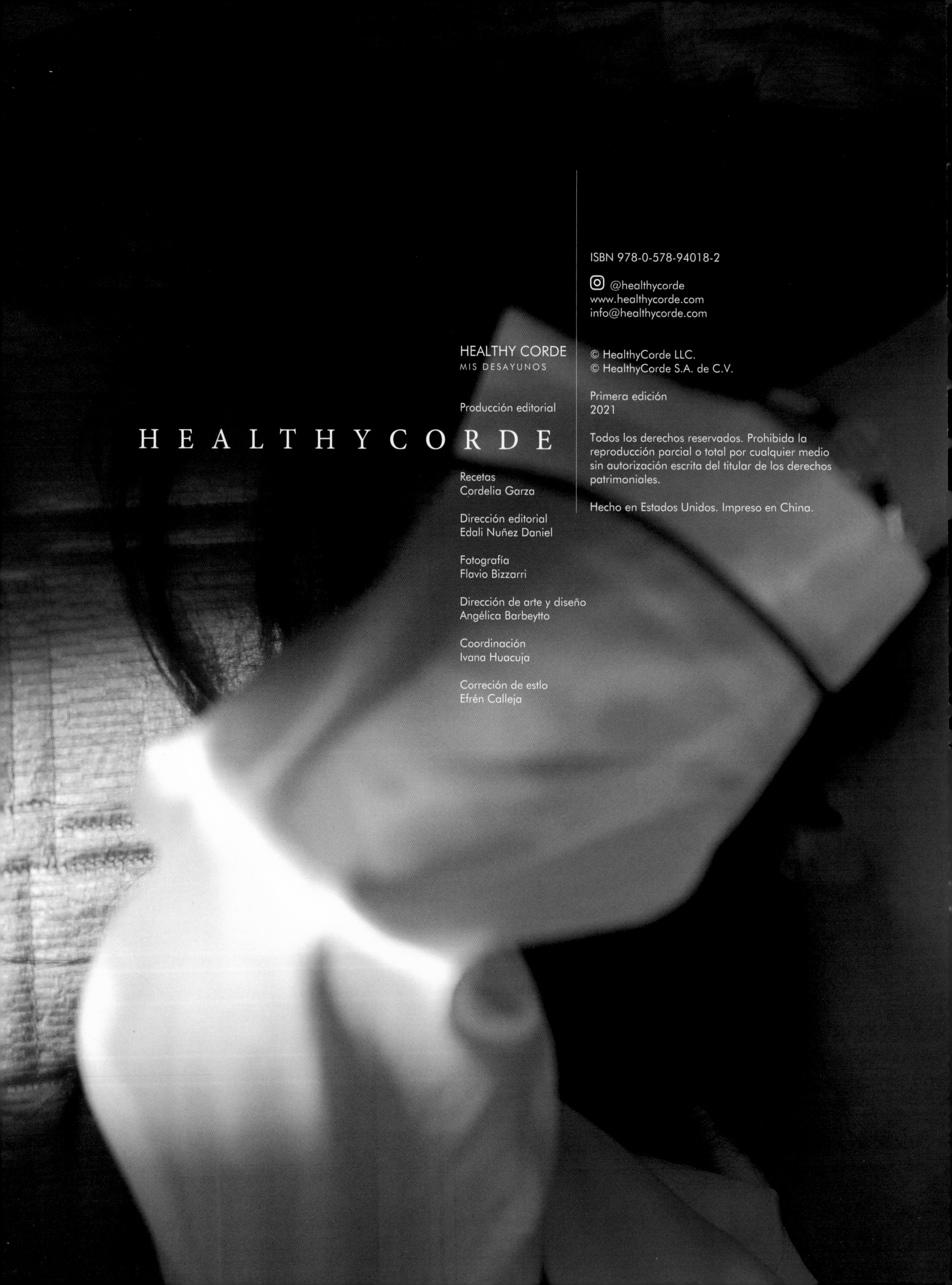

HEALTHY CORDE

MIS DESAYUNOS

Producción editorial

H E A L T H Y C O R D E

Recetas
Cordelia Garza

Dirección editorial
Edali Nuñez Daniel

Fotografía
Flavio Bizzarri

Dirección de arte y diseño
Angélica Barbeytto

Coordinación
Ivana Huacuja

Correción de estlo
Efrén Calleja

ISBN 978-0-578-94018-2

@healthycorde
www.healthycorde.com
info@healthycorde.com

Primera edición
2021

Hecho en Estados Unidos. Impreso en China.

No hay nada mejor que desayunar en familia. Nada. Iniciar el día con la luz, las palabras y los cariños de los tuyos es un privilegio que debemos agradecer y honrar con una alimentación sana, nutritiva y deliciosa. Con este libro, quiero invitarte a disfrutar y compartir el gozo de los amaneceres familiares. ¡Disfrútalo!

HEY!

GOOD
MOOOORRRNIINNGG
EVERYONE!

Está científicamente comprobado que el desayuno es la comida más importante y, como profesional de la salud, me encanta que podamos contar con este libro para inspirarnos a cocinar recetas llenas de ricos sabores y nutrientes.

Encontrar a Corde en internet fue como hallar una aguja en un pajar. Es bonito, en el infinito mundo de las redes sociales, descubrir a alguien que no tenga temor de mostrarse tan buena en lo que le gusta y le apasiona. Más aún, es tremendamente admirable encontrar a alguien que puede sincerarse con su público y mostrarse en su faceta más honesta y humana, y lograr que quienes la vemos todos los días podamos crear consciencia de lo importante que es la salud emocional. Todo eso se refleja, página a página, en este libro, sin duda.

El propósito de Corde es claro, impactar la vida de las miles de personas que la vemos y ahora la leemos todos los días. Si bien es admirable en todas las facetas de su vida que nos permite conocer, hay dos cosas verdaderamente especiales en ella: tiene una empatía tremenda hacia los demás y el equilibrio y la forma en que inspira a otros a tener un estilo de vida saludable es tan aterrizada, real y alcanzable que hace inmediatamente que se busque o desee llevar un estilo de vida sano por el deseo de estar bien física y emocionalmente. Cada una de estas virtudes se materializa en los desayunos que ahora, con gran generosidad, nos comparte.

Lo que más disfruto de Corde, sin duda, es su maternidad empática y presente. Eres un gran ejemplo a seguir Corde, gracias por inspirar todos los días, por demostrar que se puede ser buena en muchas cosas sin descuidar lo más preciado: la familia. Gracias por mostrarnos que lo que se propone se logra sin cuestionamientos ni titubeos, y por la fortaleza tan grande que transmites en cada uno de tus proyectos.

Somos muchos los que te vemos y a los que nos inspiras y estoy segura que somos muchos los que te agradecemos profundamente tu sinceridad, empatía, tus ganas de inspirar a todos y tu generosidad al poner en nuestras manos este libro que nos permitirá crear momentos de diálogo, armonía y nutrición con nuestras familias.

Con cariño,

Ana Cecilia V.
Nutrióloga Clínica Integrativa

Jugos

Amo los jugos de verduras. Además de ser deliciosos y refrescantes, son una forma fácil de nutrirnos y refrescarnos. Con cada jugo ingerimos vitaminas directamente de las verduras. La gente me pregunta mucho si mi desayuno es sólo un jugo. No, no es así, pero trato de que siempre haya un jugo como parte de mi desayuno. Todas las recetas que te comparto en este capítulo son para una persona.

Glow remedy

Spa day

Digest

1 lechuga romana
1 pepino
Jugo de 1 limón
½ manojo de perejil
6 hojas de kale
2 tazas de espinacas
3 centímetros de jengibre

1 manojo de kale
6 varas de apio
6 espárragos
1 taza de piña
1 pepino
Jugo de 1 limón
Pizca de pimienta de Cayena

2 pepinos
1 manzana verde
Jugo de 1 limón
1 cucharada de jugo de aloe vera
1 taza de agua de coco

Reserva el jugo de limón. Pasa el resto de los ingredientes por el extractor. Agrega el jugo de limón. Mezcla. Sirve y disfruta.

Todas las verduras van crudas.

Reserva el jugo de limón. Pasa el resto de los ingredientes por el extractor. Agrega el jugo de limón. Mezcla. Sirve y disfruta.

Todas las verduras van crudas.

Pasa los pepinos y la manzana por el extractor. Agrega los demás ingredientes. Mezcla. Sirve y disfruta.

El aloe vera lo encuentras en tiendas naturistas y en farmacias. También puedes cortar un pedacito de una penca. En este caso, pícalo finamente y agrega los trocitos al jugo.

Todas las verduras van crudas.

Roots

2 betabeles con todo y hojas
1 kiwi sin cáscara
3 zanahorias
2 centímetros de jengibre
2 centímetros de turmeric
Jugo de 1 limón

Reserva el jugo de limón. Pasa todos los ingredientes por el extractor. Agrega el jugo de limón. Mezcla. Sirve y disfruta.

Todas las verduras van crudas.

Glow remedy

No olvides agregar el limón al final

Me gusta pensar en este maravilloso jugo como en una promesa de tres caminos: es un augurio de sanación, salud y bienestar. Esto es porque limpia el organismo, aporta nutrición y te relaja en cada trago. Pero eso no es todo, también proporciona elementos que son esenciales para la desintoxicación, como el calcio y la clorofila. Por supuesto, sus ingredientes son una fuente de valiosas vitaminas. ¿Quieres saber cuál es mi complemento perfecto para este jugo? ¡Una mascarilla! Con eso, tienes un tratamiento completo.

Spa day

Digest

Roots

Smoothies

Los smoothies que hago en la licuadora sí los tomo como un desayuno completo, porque tienen mucha fibra. La única excepción es cuando hago licuados sin proteína vegetal, sólo para ingerir vegetales de forma rápida. Los vegetales son importantísimos. Por eso trato de que en cada comida haya al menos una verdura. Si te aseguras de comer verdes y más verdes verás cómo te cambia, de manera impactante, el humor, la piel y la digestión.

Te recomiendo congelar tu fruta o comprarla congelada. No pierde los nutrientes y le da una textura increíble al licuado. Por ejemplo, cuando tus plátanos estén maduros, quítales la cáscara, pártelos por la mitad y congélalos. De esta manera, ya tienes la medida perfecta para un smoothie. También las verduras congeladas, como el kale y la espinaca, son excelentes opciones para licuar. Reconozco que muchas veces tomo un licuado como snack, pues me ayuda muchísimo a controlarme y no llegar con tanta hambre a la cena. Estas recetas también son individuales.

Nota: El smoothie sabe mejor si siempre usas fruta congelada. Si lo deseas, agrega hielo para obtener mayor consistencia.

Tropical green

1 ½ tazas de leche de almendra o agua
2 tazas de espinacas
½ plátano
1 taza de piña
1 dátil [o endulzante de tu elección]
1 cucharadita de crema de almendra

Coloca todos los ingredientes en la licuadora. Licúa. Sirve y disfruta.

Si lo deseas, puedes usar kale en lugar de espinaca.

Wake me up

1 taza de leche de almendra o agua
1 taza de fresas
1 plátano congelado
2 tazas de espinacas
½ aguacate
1 dátil [o endulzante de tu elección]

Coloca todos los ingredientes en la licuadora.
Licúa. Sirve y disfruta.

Rise and shine

1 taza de agua o leche
1 taza de fresas
½ plátano congelado
1 cucharadita de crema de almendra
1 taza de yogurt griego
1 dátil [o endulzante de tu elección]
4 cucharadas de avena

Coloca todos los ingredientes en la licuadora.
Licúa. Sirve y disfruta.

Green monster

1 ½ tazas de leche de almendra o agua
2 tazas de espinacas
½ plátano congelado
½ taza de papaya
1 dátil [o endulzante de tu elección]
1 cucharadita de maca

Coloca todos los ingredientes en la licuadora. Licúa. Sirve y disfruta.

Glowing girl smoothie

1 taza de agua o leche
2 tazas de espinacas
½ taza de blueberry
½ plátano
1 cucharadita de cacao
1 cucharadita de chía
1 dátil [o endulzante de tu elección]

Coloca todos los ingredientes en la licuadora.
Licúa. Sirve y disfruta.

Green smoothie bowl

⅔ de taza de leche de almendra
2 tazas de espinacas
2 plátanos congelados
1 taza de piña congelada
½ medida de proteína en polvo
Endulzante de tu elección [a tu gusto]

Coloca todos los ingredientes en la licuadora. Licúa hasta que te quede una consistencia de nieve. Sirve y disfruta.

Si quieres rebajar la consistencia, agrega un chorrito de leche.

En el caso de los toppings, deja que tu creatividad fluya. A mí me gusta con granola, nueces, semillas de hemp, chía o crema de almendra o, a veces, solito.

7

Purple smoothie bowl

⅔ de taza de leche de almendra
2 plátanos congelados
1 taza de mora azul congelada
1 cucharada de crema de almendra
½ cucharadita de extracto de vainilla
1 cucharadita de semillas de chía
Endulzante de tu elección [a tu gusto]

Coloca todos los ingredientes en la licuadora. Licúa hasta que te quede una consistencia de nieve. Sirve y disfruta.

Si quieres rebajar la consistencia, agrega un chorrito de leche.

Te sugiero estos toppings: berries, chía, almond butter o coco rallado. Siempre puedes añadir algún otro de tu gusto.

Tropical green

Si agregas tus verduras, frutas, proteínas o granos favoritos, los smoothies siempre son una manera súper práctica, fácil y rápida de obtener un desayuno completo.

Green smoothie bowl

Purple smoothie bowl

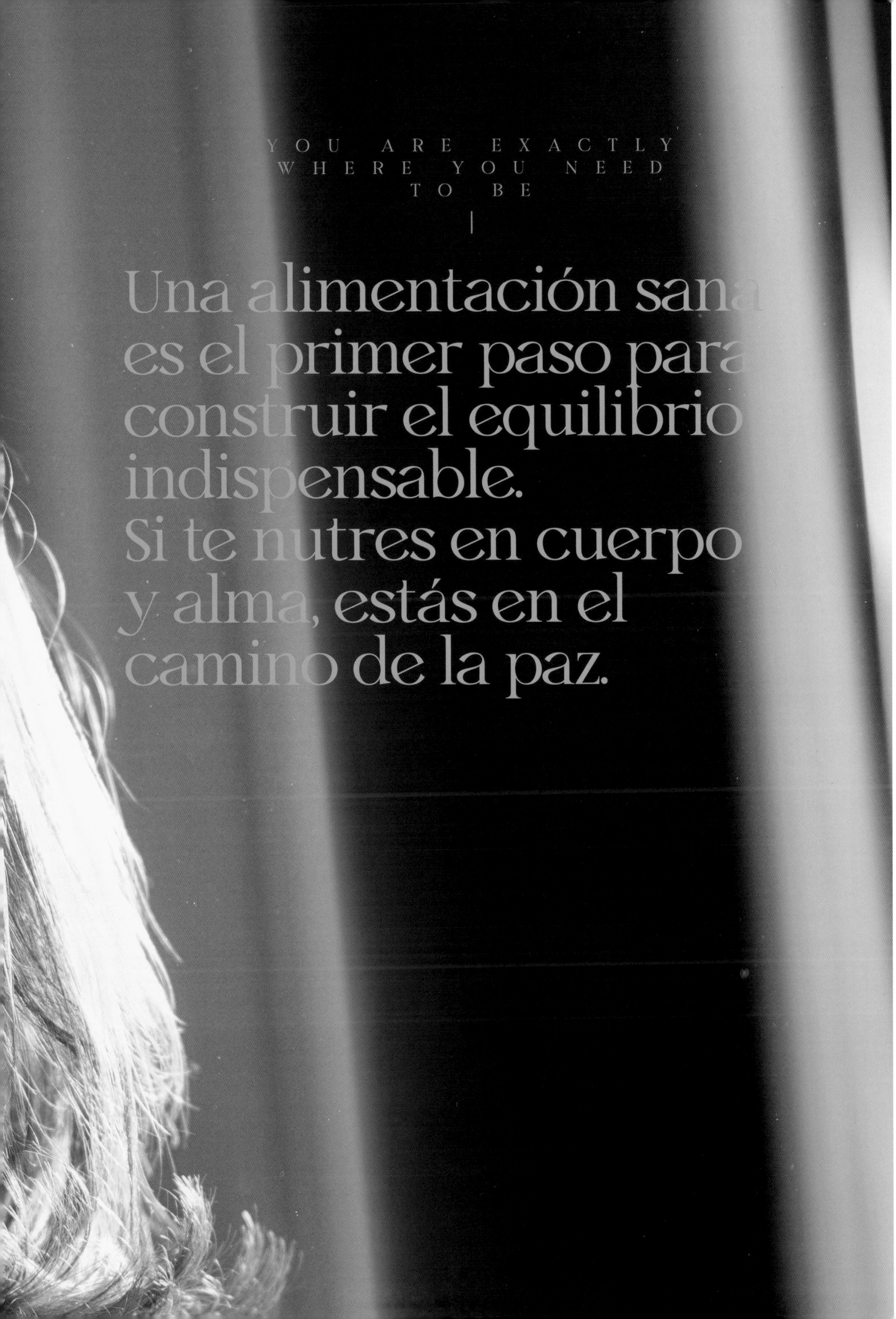

YOU ARE EXACTLY WHERE YOU NEED TO BE

Una alimentación sana es el primer paso para construir el equilibrio indispensable. Si te nutres en cuerpo y alma, estás en el camino de la paz.

Avenas y yogurts

Las avenas y los yogurts son desayunos prácticos y ricos. Además, me mantienen satisfecha durante bastante tiempo. En este capítulo encontrarás avenas cocidas y también las overnight, que son de mis favoritas porque están listas en un minuto si las dejas reposando desde la noche anterior. Son una gran opción de desayuno para esos días en los que el mundo corre a toda prisa y tienes que hacer varias cosas al mismo tiempo: lo pones en un contenedor y te lo llevas en el carro o lo tomas mientras te preparas para comenzar el día.

Avena

2 tazas de avena
2 ½ tazas de leche de almendra
1 plátano molido con tenedor
Pizca de canela
2 cucharadas de azúcar morena
o endulzante de tu elección
Pizca de sal

En una olla a fuego medio, cuece la leche con la avena y la sal durante 5 minutos. Baja el fuego. Agrega el plátano, el azúcar y la canela. Deja cocer durante 6 minutos. Retira. Sirve y disfruta.

Tengo que confesar que algunos días le agrego toppings al gusto. ¡Ah! y que me gusta dorar la otra mitad del plátano en una sartén, con un poquito de mantequilla ghee, nueces y semillas de chía.

TIP: Acompaña con tus frutas favoritas. Yo lo acompañé con chía e higos.

Avena berries

1 ½ tazas de avena
2 cucharadas de yogurt griego sin azúcar
1 ½ tazas de leche de almendra
½ cucharadita de extracto de vainilla
Pizca de canela

Topping
Fresas en cuadritos
Mora azul
Frambuesas
Crema de almendra
Almendra triturada
Miel [o endulzante de tu elección]
Chía

Reserva el yogurt. En un recipiente de vidrio, mezcla el resto de los ingredientes. Tapa y deja reposar en el refrigerador durante una hora. Agrega el yogurt. Añade los toppings a tu gusto. Sirve y disfruta.

Esta avena, en particular, me gusta dejarla reposar toda la noche para que los sabores y las texturas se integren con armonía y profundidad.

Si eliges dejar que repose la avena junto con todos los ingredientes toda la noche, te recomiendo mucho utilizar las berries congeladas; al reposar se ablandan y sueltan su sabor de una manera diferente a que cuando están frescas.

AVENAS Y YOGURTS

Avena apple pie

1 ½ tazas de avena
2 cucharadas de yogurt griego sin azúcar
1 ½ tazas de leche de almendra
½ cucharadita de extracto de vainilla
Pizca de canela
Puñito de semillas de hemp

Topping
Manzana gala en cuadritos
Nuez
Miel [o endulzante de tu elección]

Reserva el yogurt. En un recipiente de vidrio, mezcla el resto de los ingredientes. Tapa y deja reposar en el refrigerador durante una hora. Agrega el yogurt. Añade los toppings. Sirve y disfruta.

Te recomiendo preparar la avena durante la noche previa. Así, al otro día ahorrarás tiempo y tendrás un desayuno saludable y delicioso.

Avena choco monkey

1 ½ tazas de avena
2 cucharadas de yogurt griego sin azúcar
1 cucharada de chía
1 taza de leche de almendra
½ cucharadita de extracto de vainilla
Pizca de canela

Topping
½ cucharada de cacao
Miel [o endulzante de tu elección]
1 plátano en rodajas
Cacao nibs
Puñito de semillas de hemp

Reserva el yogurt. En un recipiente de vidrio, mezcla el resto de los ingredientes. Tapa y deja reposar en el refrigerador durante una hora. Agrega el yogurt. Añade los toppings con total libertad. Sirve y disfruta.

Esta versión me encanta por la suma de sensaciones y sabores.

Avena green

1 ½ tazas de avena
4 cucharadas de yogurt griego sin azúcar
1 ½ tazas de leche de almendra
½ cucharadita de extracto de vainilla
Pizca de canela

Topping
Pera en rebanadas
Ralladura de limón
Miel de abeja [o endulzante de tu elección]
Pistaches

Reserva el yogurt. En un recipiente de vidrio, mezcla el resto de los ingredientes. Tapa y deja reposar en el refrigerador durante una hora. Agrega el yogurt. Añade los toppings con total libertad. Sirve y disfruta.

Como ves, la avena cruda es uno de mis desayunos favoritos.

Muesli

½ taza de leche de almendra
½ taza de avena en hojuelas
½ taza de manzana Gala en cuadritos
6 almendras finamente picadas
1 cucharada de semillas de girasol sin sal
¼ de taza de arándanos secos
1 dátil finamente picado
½ cucharadita de linaza molida
1 cucharadita de fruto de monje
Miel

Vierte la leche en un recipiente de vidrio, añade la avena, la manzana, las almendras y las semillas de girasol. Tapa y deja cocinar a fuego lento por 10 minutos aproximadamente. Agrega el dátil, la linaza, el fruto de monje y cocina por 3 minutos más. Agrega los arándanos y la miel. Sirve y disfruta.

Para estos casos, prefiero la avena de cocción lenta.

Puedes sustituir el fruto de monje con el endulzante de tu gusto.

Chía pudding

20 blueberries
8 fresas cortadas en rebanadas
¼ de taza de almendras picadas
1 taza de semillas de chía
1 cucharadita de extracto de vainilla
2 tazas de yogurt griego sin azúcar
2 cucharaditas de miel de maple
(o endulzante de tu elección)

Reserva las blueberries, las fresas y las almendras. En un bowl, mezcla las semillas
de chía con la cucharadita de extracto de
vainilla. Tapa y deja reposar toda la noche. Al
día siguiente, agrega 3 cucharadas de yogurt
griego.

En un recipiente, coloca una cama de yogurt,
la chía, los frutos rojos y repite. Agrega la
miel y las almendras. Disfruta.

Para enriquecer el sabor de las almendras,
me gusta dorarlas un poquito.

4 personas

Yogurt parfait

1 taza de yogurt griego
1 taza de frutos rojos
4 cucharadas de avena cruda o granola
1 puñito de pistaches
1 cucharadita de miel

En un plato coloca el yogurt, los frutos rojos,
la avena cruda o granola (ve la receta en la
página 92), los pistaches y la miel. Disfruta.

Para este desayuno, siempre elijo la miel de
agave. Cuando no tengo pistaches, utilizo almendras.

Bowl de manzana con yogurt

1 taza de yogurt griego
1 cucharada de mantequilla ghee
2 manzanas en juliana
½ cucharadita de canela
½ cucharadita de extracto de vainilla
2 cucharaditas de miel de maple
½ taza de nuez ligeramente triturada

Sirve el yogurt en un plato hondo y reserva. Pon una sartén a fuego medio. Agrega la mantequilla y dora la manzana. Añade la canela y el extracto de vainilla. Cocina de 3 a 4 minutos. Cuando la manzana esté dorada, retira la mezcla. Vierte la mezcla en el plato del yogurt. Agrega la miel, la nuez y una pizca de canela. Disfruta.

En lugar de la miel de maple, puedes utilizar el endulzante de tu preferencia.

AVENAS Y YOGURTS

Crepas de avena

Crepa
½ taza de avena molida
1 taza de leche de almendra
1 cucharada de linaza molida
½ cucharada de canela
2 huevos
½ cucharadita de polvo para hornear
Pizca de sal
½ cucharadita de extracto de vainilla
Canela

Relleno
1 taza de queso cottage
½ taza de fresas picadas
½ cucharadita de extracto de vainilla

Licúa todos los ingredientes. Engrasa una sartén y ponla a fuego bajo. Añade la mezcla de manera uniforme, con movimientos circulares. Una vez que esté cocida, voltea. Cuando las dos caras estén cocidas, retira del fuego. Coloca los ingredientes del relleno sobre la crepa. Dobla, agrega canela y disfruta.

Los ingredientes del relleno pueden ser tan diversos y divertidos como tu imaginación lo decida.

AVENAS Y YOGURTS

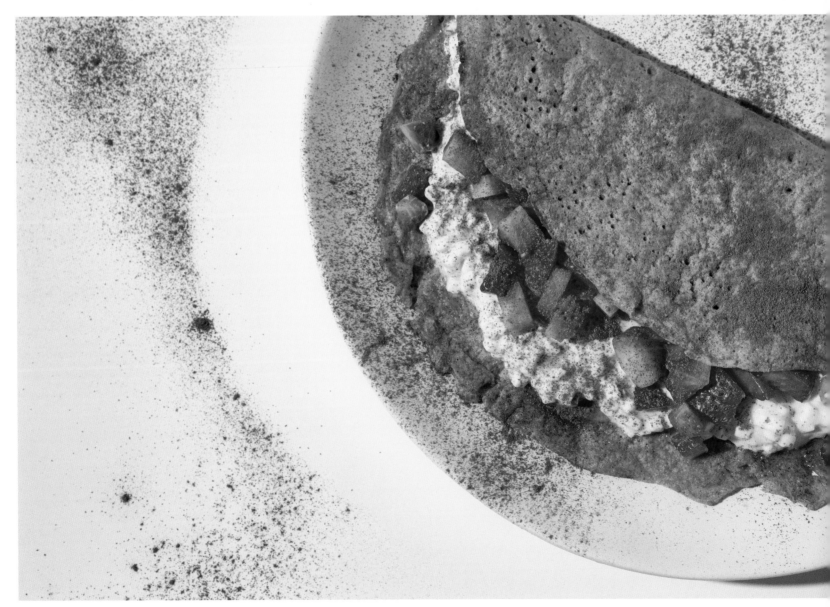

Granola bowl

½ taza de quinoa enjuagada
1 taza de avena de cocción lenta
⅔ de taza de semillas de calabaza
⅔ de taza de almendras rebanadas
¼ de taza de nuez picada
½ taza de arándanos secos
5 cucharadas de aceite de coco derretido
3 cucharadas de miel de agave
Ralladura de 1 naranja grande

Precalienta el horno a 300 grados Fahrenheit (170 grados centígrados). En un bowl, mezcla todos los ingredientes. Asegúrate de que el aceite y la miel estén perfectamente incorporados. Prepara una charola para hornear con papel encerado. Extiende la mezcla sobre la charola, de manera uniforme. Hornea durante 15 minutos. Saca la charola, mueve la mezcla y extiéndela de nuevo. Hornea de 10 a 15 minutos más. Retira del horno. Deja enfriar. Sirve y disfruta.

Me gusta dejar la charola unos minutos más en el horno para que el tostado sea intenso.

Si guardas la mezcla en un frasco hermético, te durará varios días. También puedes congelarla.

Meditar no es ausentarse del mundo, sino habitarlo desde la estabilidad.

Meditar es una práctica necesaria para que nuestra cotidianidad fluya con un sentido de aprendizaje. Además, nos pone en la búsqueda de la atención para cada una de nuestras acciones. En mi caso, acostumbro meditar por las mañanas para iniciar enfocada y dispuesta a recibir los dones de la vida con alegría y amor. Por supuesto, no siempre es fácil adquirir el hábito de la meditación. Puede ser que al principio te resulte difícil y creas que es imposible. Mi consejo es el siguiente: persevera. Estoy segura de que lo conseguirás.

Luego, conforme transcurre el día, tomo los breaks necesarios para relajarme, respirar, hacer una pausa consciente y preguntarme qué he aprendido y qué he dado. Esto siempre me ha parecido muy importante: tomar conciencia de lo que nos dan y de lo que entregamos. Si lo sabemos, podemos agradecerlo y disfrutarlo. Por ejemplo, cada desayuno es algo que doy con todo mi corazón, con felicidad. Por lo anterior, este libro es, también un catálogo de oportunidades para dar, recibir, compartir y florecer desde la nutrición y el equilibrio familiar.

Huevos

Frittata de vegetales

8 huevos
1 cucharada de aceite de aguacate
1 chile jalapeño finamente picado
sin semillas
2 cucharadas de cebolla morada
finamente picada
¼ de taza de champiñones
½ calabaza zucchini en rodajas delgadas
¼ de manojo de espárragos en
trozos pequeños
2 rebanadas picadas de jamón de pechuga
de pavo
1 cucharada de queso de cabra
Pizca de sal
Pizca de pimienta

Precalienta el horno a 350 grados Fahrenheit (170 grados centígrados).

En un bowl, bate y salpimenta los huevos. Reserva.

Pon una sartén skillet a fuego medio. Añade el aceite, el jalapeño, la cebolla y los champiñones. Acitrona durante 2 minutos. Agrega la calabaza y los espárragos. Cocina durante 3 minutos. Añade sal y pimienta. Incorpora la pechuga de pavo. Cocina durante 2 minutos más. Añade los huevos. Deja cocer durante un minuto. Distribuye el queso sobre la superficie.

Lleva la skillet al horno. Hornea durante 8 minutos o hasta que veas que el huevo está cocido. Retira del horno y deja reposar 3 minutos. Sirve y disfruta.

Cuando la skillet se encuentra en el horno, me gusta olvidarme de los minutos y dejarme llevar por el dorado y el aroma de la frittata. Así, la vista y el olfato dicen: ¡Está lista!

TIP: Puedes agregar un poco más de queso y salsa, si así lo deseas, o un poco de arúgula.

Omelette a la mexicana

4 huevos
1 cucharada de aceite de oliva
1 chile jalapeño picado
3 cucharadas de cebolla picada
¼ de taza de champiñones en cuadritos
½ taza de frijoles negros cocidos
½ taza de queso panela rallado
½ aguacate en cuadritos
3 cucharadas de cilantro picado
8 tomates cherry en rodajas
Sal

Pon una sartén a fuego medio. Añade el aceite o spray antiadherente, el jalapeño y la cebolla. Acitrona durante 2 minutos. Agrega los tomates, el chile y los champiñones. Cocina durante 1 minuto más. Agrega los frijoles y deja guisar por 2 minutos más. Retira del fuego. Reserva.

En un bowl, bate los huevos y ponles un toque de sal. Reserva.

Pon otra sartén a fuego medio con spray antiadherente. Vierte la mezcla del huevo y distribúyela de manera uniforme. Cocina durante 3 minutos. Añade el guiso de los frijoles. Cierra el omelette. Retira del fuego. Decora con aguacate, cilantro y panela. Sirve y disfruta.

Huevo revuelto con arúgula

2 huevos
½ taza de arúgula
¼ de taza de queso parmesano rallado
1 cucharadita de aceite de oliva
3 cucharadas de tocino cocido finamente picado
Pizca de chile de árbol seco triturado
Sal

En un plato hondo, bate los huevos con un toque de sal.

Pon una sartén a fuego bajo. Añade el aceite y los huevos. Mezcla lentamente. Agrega el queso y la arúgula. Sigue mezclando y agrega el tocino. Cuando el huevo tenga la consistencia de tu agrado, retira del fuego. Espolvorea el chile. Sirve y disfruta.

Hay dos cosas que me gusta hacer cuando preparo este desayuno: utilizar una skillet y decorar con rábanos.

Si estás en modo clean, no agregues el tocino.

Tacos de huevo con pico de gallo

Tacos de huevo
4 huevos
1 cucharada de aceite
4 tortillas de maíz
½ taza de guacamole
½ taza de frijoles cocidos

Pico de gallo
1 taza de tomate finamente picado
¼ de cebolla en cuadritos
3 cucharadas de cilantro finamente picado
Jugo de 1 limón
Sal
Pimienta

Coloca una sartén a fuego medio. Añade el aceite y coloca los huevos estrellados. En un comal, calienta las tortillas. Sobre una tortilla, coloca guacamole, huevo, frijol y pico de gallo. Dobla y disfruta.

Pico de gallo
Mezcla todos los ingredientes. Salpimenta.

TIP: Puedes agregar un poco de chile triturado al final.

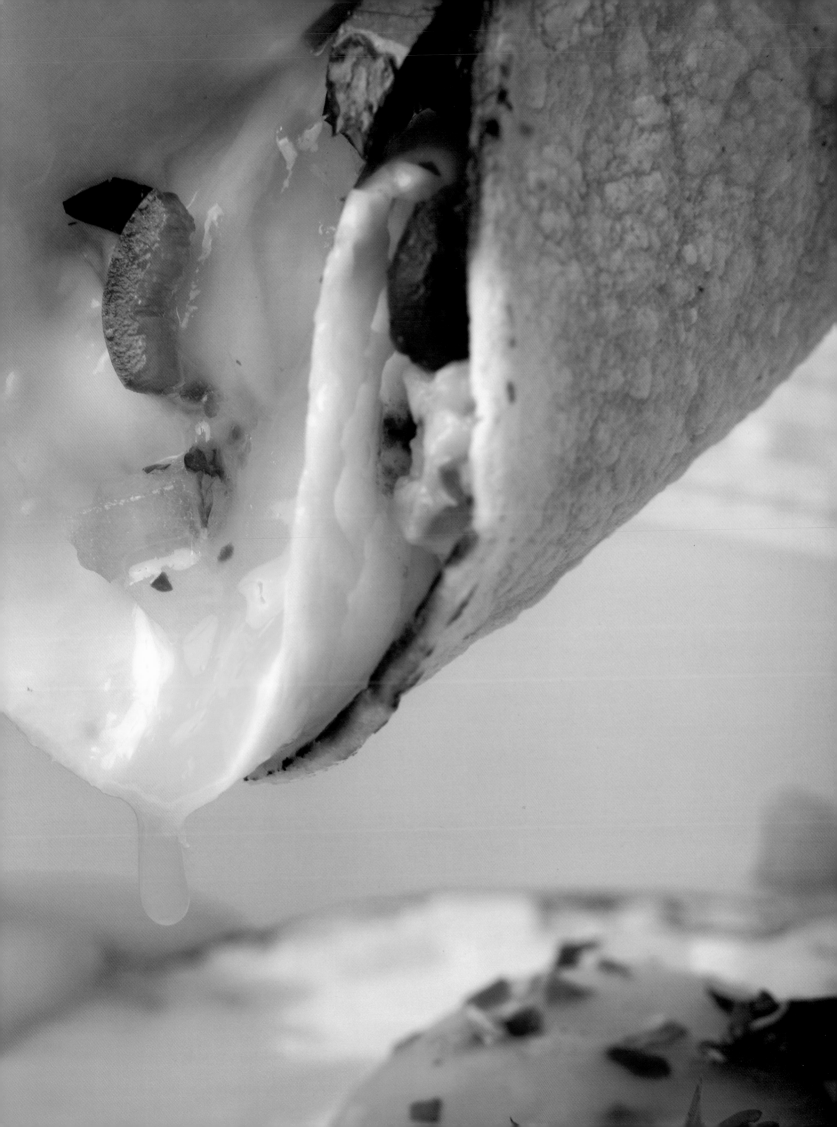

Waffles, pancakes y muffins

Este capítulo me encanta porque, tengo que decirlo, mi paladar es bastante dulce. En especial, soy fanática de los pancakes. Por eso, aquí te comparto varias maneras de hacerlos en una versión más saludable. Si tuviera que ponerle fecha a estos desayunos, diría que me gusta prepararlos los fines de semana, que es cuando tengo más tiempo y puedo improvisar con nuevos ingredientes. ¡Ah! y tengo dos razones más para compartir estos placeres: a los niños les encantan y siempre son un desayuno exitoso para los invitados.

Waffles integrales

1 ½ taza de avena
2 huevos
1 taza de leche de almendras
1 cucharada de linaza
1 cucharadita de extracto de vainilla
1 cucharadita de canela
½ cucharadita de polvo para hornear
¼ de taza de granada
½ taza de blueberries

En un bowl licúa la avena, la canela, la linaza y el polvo para hornear. Reserva

En otro bowl, mezcla la leche, el huevo y la vainilla. Añade el contenido del primer bowl. Mezcla. Reserva.

Pon spray antiadherente a la wafflera. Añade la mezcla. Cierra y deja cocer hasta que los waffles se doren. Sirve. Añade el yogurt, la granada y los blueberries. Disfruta.

También me gusta acompañarlos con yogurt griego, fresas y miel, pero sigue tu instinto y añade los toppings que más te gusten, como chocolate, nueces o frutas.

Pancakes de avena

1 taza de avena
½ plátano
2 huevos completos
2 claras de huevo
1 cucharadita de linaza molida
1 cucharadita de extracto de vainilla
¾ de taza de leche
½ cucharadita de polvo para hornear
Pizca de canela

Coloca todos los ingredientes en una licuadora. Licúa.

En un comal bien caliente, vierte la mezcla y forma los círculos de los pancakes. A medida que se cuezan de un lado, voltea para que adquieran una consistencia uniforme. Sirve y disfruta.

Yo los disfruto con fresas y blueberries, pero puedes usar cualquier fruta de tu preferencia.

Muffins de naranja y almendra

3 huevos
⅔ de taza de azúcar morena
Ralladura de 1 naranja mediana
⅓ de taza de jugo de naranja
¼ de taza de aceite de aguacate
2 cucharadas de yogurt griego
¾ de cucharadita de extracto
de vainilla
1 taza de harina de avena
1 ⅔ tazas de harina de almendra
½ cucharadita de polvo para hornear
¼ de cucharadita de sal
⅓ de taza de almendra rallada
½ plátano para decorar

Precalienta el horno a 325 grados Fahrenheit (165 grados centígrados).

Prepara una charola con spray antiadherente. En un bowl, bate el azúcar y los huevos durante 2 minutos. Agrega la ralladura de naranja, el jugo, el aceite, el yogurt y la vainilla. Reserva.

En otro bowl, mezcla las harinas, el polvo para hornear y la sal. Añade el contenido del primer bowl. Mezcla. Vierte la mezcla en la charola. Agrega almendras ralladas sobre cada muffin. Hornea durante 30 minutos aproximadamente, agrega el plátano para decorar y deja enfriar durante 20 minutos. Sirve y disfruta.

Para hacer la harina de avena, simplemente muele la avena en la licuadora.

Para saber cuándo están listos los muffins, inserta un cuchillo. Si sale limpio, es momento de retirar la charola del horno.

Muffins
de avena

1 ¼ tazas de avena de cocción lenta
1 ¼ tazas de puré de manzana sin azúcar
½ taza de leche de almendra
1 huevo
1 cucharadita de extracto de vainilla
4 cucharadas de mantequilla derretida
½ taza de azúcar morena
1 taza de harina integral
1 cucharadita de polvo para hornear
¾ de cucharadita de bicarbonato
de sodio
1 cucharadita de canela en polvo
¼ de cucharadita de sal
½ taza de nuez

Precalienta el horno a 350 grados Fahrenheit (170 grados centígrados). Prepara una charola para hornear con spray antiadherente.

En un bowl, mezcla la avena, el puré, la leche, el huevo, la vainilla, la mantequilla y el azúcar. Reserva.

En otro bowl, mezcla la harina, el polvo para hornear, el bicarbonato, la canela, la sal y la nuez. Añade el contenido del primer bowl. Mezcla. Vierte la mezcla en la charola y hornea durante 30 minutos aproximadamente. Deja enfriar durante 20 minutos.

TIP: Una vez que los muffins están fríos, puedes congelarlos y si lo deseas, puedes utilizar aceite de coco en lugar de la mantequilla.

Panqué de zucchini y cacao

3 cucharadas de crema de almendra
⅓ taza de miel maple
1 taza de dátil finamente picado
1 cucharadita de extracto de vainilla
1 taza de harina integral
½ cucharadita de bicarbonato de sodio
4 cucharadas de cacao
1 cucharadita de polvo para hornear
3 huevos
1 taza de zucchini rallado
½ taza de chispas de chocolate obscuro
¼ de taza de nuez picada
Pizca de sal

Precalienta el horno a 350 grados Fahrenheit (170 grados centígrados).

Engrasa un molde de panqué.

En la batidora, mezcla la crema de almendra, la miel, el dátil y el extracto de vainilla. Agrega el bicarbonato de sodio, el cacao, la harina, el polvo para hornear y la sal. Añade los huevos. Bate durante 2 minutos. Bate la miel y la vainilla con el zucchini y luego bate el dátil con la nuez. Mezcla todo. Vierte la mezcla en el molde. Agrega las chispas de chocolate y hornea por 40 minutos aproximadamente. Deja enfriar. Sirve y disfruta.

Ideal para esos momentos de conversaciones informales, amigables y sorpresivas. Yo le llamo "mi pretexto para un picnic".

their very own grain.
The joy of harvest let
us never forget or the
hard times endured for
our future yet.

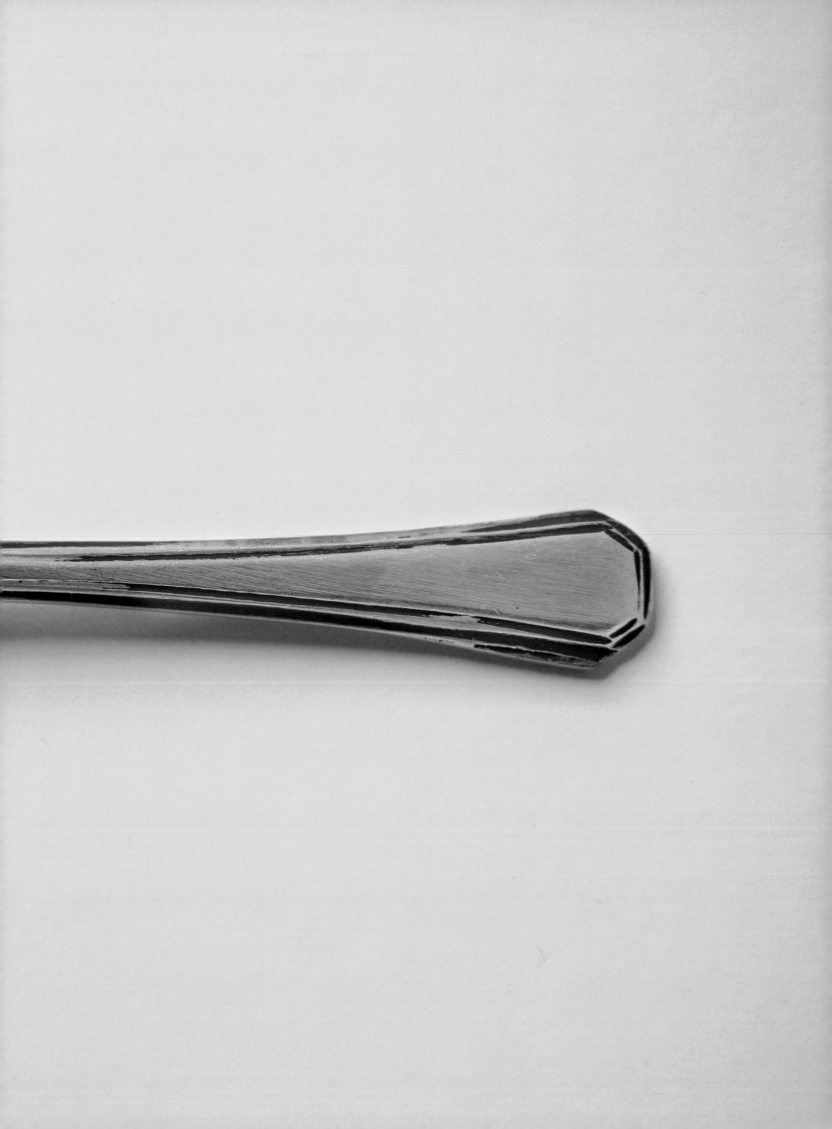

Toasts

Me encantan los toasts. Cada vez que los pruebo, confirmo que
son la manera más creativa de comer un buen pan integral.
Uno de mis placeres es servir charolas de toasts
cuando mis amigas vienen a desayunar.
Con los toasts, la mesa se convierte en una hermosa
combinación de colores y texturas.

Claudio

1 rebanada de pan sourdough (pan de masa madre)
1 cucharada de azúcar morena o de tu elección
Jugo de 1 limón
⅓ de cucharadita de jengibre rallado o al gusto
½ durazno en rebanadas
5 moras
3 cucharadas de queso ricotta
1 cucharadita de almendras

Cuece en una cacerola, el azúcar, el jugo de limón y el jengibre a fuego medio. Agrega el durazno y mezcla durante 2 minutos. Incorpora las moras por un minuto más. Cocina la mezcla con movimientos lentos. Retira y deja enfriar.

Unta el queso ricotta sobre el pan. Coloca la mezcla del durazno y las moras. Agrega un poco de la mermelada que se formó y las almendras.

TIP: Puedes aplastar las moras si así lo deseas.

Benjamín

2 rebanadas de pan integral
2 huevos completos
1 clara de huevo
½ cucharadita de canela
3 cucharadas de leche de almendra
o cualquiera de tu elección
½ cucharadita de extracto de vainilla

En un bowl, bate manualmente el huevo, la canela, la leche y el extracto de vainilla. Sumerge el pan en la mezcla por ambos lados. Pon una sartén con spray antiadherente o mantequilla a fuego medio. Dora el pan por ambos lados. Sirve y disfruta.

TIP: Acompaña con fruta, tocino o miel maple.

Lucas

1 rebanada de pan
1 huevo
1 cucharadita de aceite de oliva
1 cucharada de ralladura de limón
½ cucharada de chile de árbol seco
¼ de aguacate molido
Sal
Pimienta

Pon una olla con agua a fuego medio. Cuando el agua suelte el primer hervor, incorpora el huevo entero. Deja hervir durante 8 minutos. Retira la olla del fuego. Pon el huevo en un bowl con agua y hielos para interrumpir su cocción. Pela el huevo y córtalo en rebanadas.

Unta el aguacate en el pan. Agrega el huevo, el aceite y la ralladura de limón, el chile seco, la sal y la pimienta. Disfruta.

Es muy importante encontrar el tiempo que nos guste para la cocción del huevo. Si lo quieres poco cocido, te recomiendo de 3 a 4 minutos. Si lo prefieres término medio (mi favorito), de 5 a 6 minutos. Si te gusta muy cocido, 9 minutos.

José

1 rebanada de pan
½ aguacate en finas rebanadas
1 huevo
1 cucharadita de cilantro
1 cucharadita de ajonjolí
Sal
Pimienta

Coloca una sartén a fuego medio con un poquito de spray antiadherente. Añade el huevo. Salpimenta. Baja el fuego y coloca una tapa sobre el huevo. Una vez que el vapor cueza el huevo a tu gusto, retíralo.

Coloca sobre el pan las rebanadas de aguacate. Agrega el huevo estrellado, el cilantro y el ajonjolí. Disfruta.

El uso del spray antiadherente te permite cocinar el huevo estrellado sin usar mucho aceite.

Es el momento de contarte que cuando tengo que elegir pan para los toasts, siempre estoy entre el sourdough y el ezequiel.

Isaac

1 rebanada de pan sourdough (pan de
masa madre)
2 o 3 rebanadas de salmón ahumado
½ cucharadita de mostaza dijon
¼ de aguacate
1 cucharada de alcaparras
Rodajas de cebolla morada
3 ramitas de eneldo
1 limón
3 gotitas de salsa Tabasco
Sal
Pimienta

Tuesta el pan. Unta la mostaza. Añade el aguacate con la salsa Tabasco y distribuye con un tenedor.
Agrega el salmón. Coloca las alcaparras, la cebolla
y el eneldo. Incorpora gotitas de jugo de limón. Salpimenta y disfruta.

Tengo un secreto para tostar el pan: ponerle un toque
de aceite de oliva y dorarlo sobre un comal. Queda
delicioso.

TIP: Puedes acompañarlo con un huevo
estrellado.

Cristóbal

1 rebanada de pan sourdough (pan de masa madre)
2 rebanadas de jamón de pechuga de pavo
2 cucharadas de hummus
3 rebanadas de tomate bola
3 rodajas de pepino
1 cucharadita de cilantro finamente picado
1 cucharadita de ajonjolí negro
1 cucharadita de aceite de oliva
Sal
Pimienta

Tuesta el pan. Unta el hummus. Agrega el jamón. Añade el tomate, el pepino y el cilantro. Salpimenta. Esparce el aceite, el ajonjolí y disfruta.

Si te gusta un poco picante, puedes agregar rodajas de chile serrano.

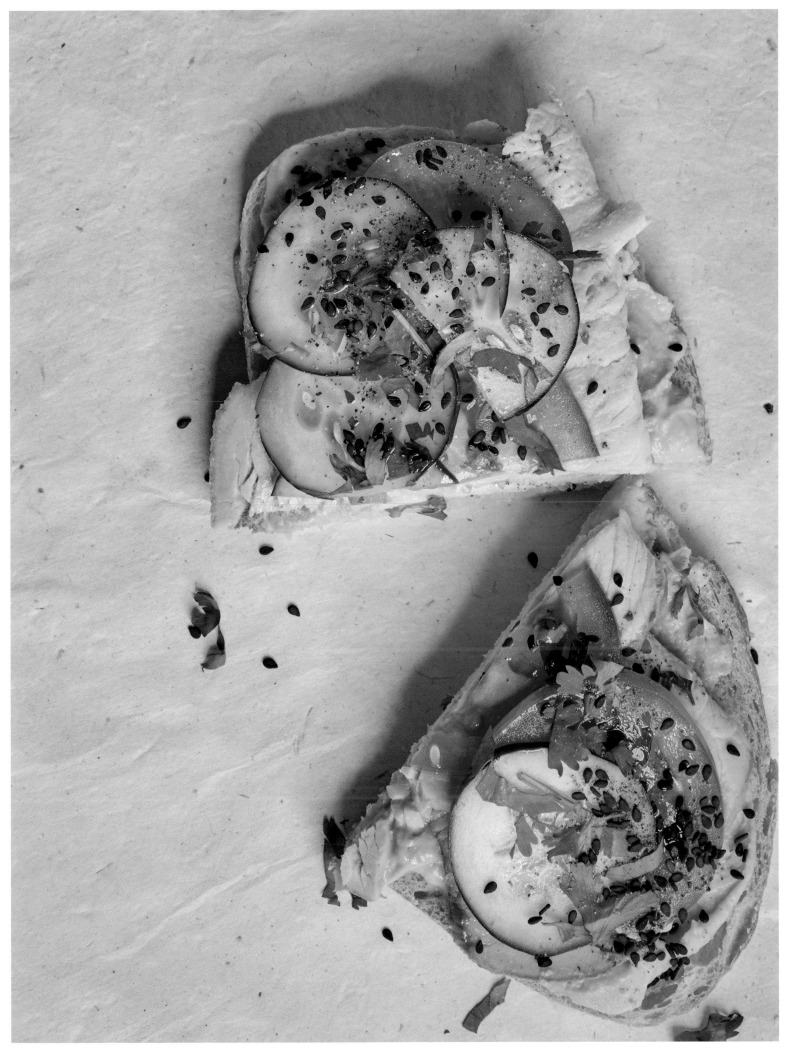

Gabriel

1 rebanada de pan sourdough (pan de masa madre)
1 cucharada de hummus
4 rebanadas de tomate bola
¼ de aguacate en cuadritos
1 cucharada de aceitunas verdes rebanadas
1 cucharada de queso feta
1 cucharadita de semillas de calabaza
1 cucharadita de aceite de oliva
1 cucharadita de vinagre balsámico
1 cucharadita de pesto
1 limón
Sal
Pimienta

Tuesta el pan. Unta el pesto y el hummus. Agrega las rebanadas de tomate. Añade el aguacate, las aceitunas, el queso feta y las semillas de calabaza. Baña con los aceites. Incorpora unas gotitas de limón. Salpimenta y disfruta.

Benito

1 rebanada de pan
2 huevos
1 cucharadita de leche de almendra
Pizca de eneldo fresco
Sal
Pimienta

En un plato hondo, mezcla los huevos y la leche. Salpimenta. Con un tenedor, bate en forma circular durante 15 segundos.

Coloca una sartén a fuego medio con un poquito de spray antiadherente o mantequilla. Añade la mezcla del huevo. Revuelve. Cuando adquiera la cocción de tu preferencia, retira del fuego. Coloca el huevo sobre el pan, agrega el eneldo y disfruta.

Joaquín

1 rebanada de pan sourdough (pan de masa madre)
3 fresas en rebanadas
5 moras azules
5 frambuesas
¼ de taza de queso cottage o ricotta
1 cucharadita de miel de abeja
1 cucharadita de semillas de hemp
1 cucharadita de crema de almendra

Tuesta el pan. Unta el queso. Agrega las berries, las semillas de hemp, la miel y la crema de almendra. Disfruta.

Diego

1 rebanada de pan sourdough (pan de masa madre)
½ manzana en rebanadas
1 cucharada de crema de cacahuate
1 cucharada de hojuelas de avena cruda
1 cucharada de nuez picada
½ cucharada de chía

Tuesta el pan. Unta la crema de cacahuate. Agrega la manzana. Incorpora las hojuelas de avena, la nuez y la chía. Disfruta.

Puedes agregar un poco de miel de abeja.

TOASTS

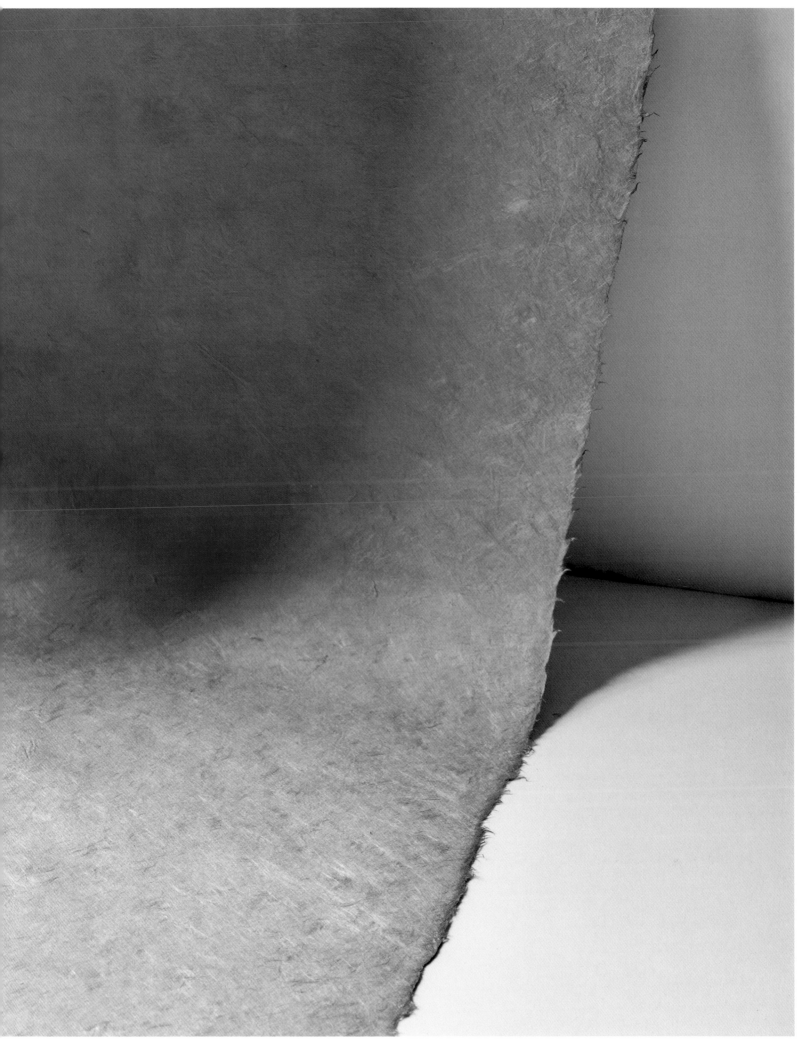

Rodolfo

1 rebanada de pan sourdough (masa madre)
3 cucharadas de yogurt griego
1 plátano en rodajas
1 cucharadita de semillas hemp
1 cucharadita de pistaches picados
½ cucharadita de semillas de chía
1 cucharadita de miel de abeja
1 cucharada de crema de almendras

Tuesta el pan. Unta el yogurt. Agrega el plátano. Añade las semillas hemp, los pistaches, la chía y la miel. Disfruta.

Vicente

1 rebanada de pan sourdough (pan de masa madre)
1 cucharadita de aceite de aguacate
1 diente de ajo
7 champiñones en rebanadas
1 cucharadita de perejil picado
1 cucharadita de eneldo
1 cucharada de jugo de limón
1 cucharadita de chile triturado
2 cucharadas de queso ricotta
Pizca de sal
Pizca de pimienta negra

Tuesta el pan.

En una sartén a fuego medio, añade el aceite y el ajo. Dora durante 2 minutos. Agrega los champiñones, el perejil, el eneldo, la sal y el limón. Cocina durante 5 minutos. Agrega el chile triturado y cocina durante 1 minuto más. Reserva.

Unta el queso ricotta en el pan y agrega una pizca de sal y de pimienta negra. Incorpora la mezcla de los champiñones. Disfruta.

TIP: Te comparto otra manera de saber cuándo están listos los champiñones: en el momento en el que se absorbió todo el líquido que sueltan. Puedes agregar un huevo estrellado para más proteína.

TOASTS

Pablo

Toast
2 panes tostados sourdough (pan de masa madre)
1 cucharadita de jugo de limón
1 cucharada de aceite de oliva
½ aguacate machacado
½ taza de arúgula
Rodajas de cebolla morada
2 huevos estrellados
4 espárragos asados
Pizca de sal

Salsa de jalapeño
6 chiles jalapeños sin rabo y sin semilla (si te gustan las salsas muy picosas deja uno con semillas)
Jugo de 1 limón
¼ de taza de aceite de oliva
3 dientes de ajo
Sal
Pimienta

Salsa de jalapeño
Coloca en una sartén el aceite y fríe los ajos y los jalapeños hasta que agarren un color doradito. Reserva el aceite. Licúa a velocidad media los chiles y los ajos con el jugo de limón. Baja la velocidad de la licuadora para incorporar el aceite en el que freíste los chiles hasta que quede cremosa.

Toast
Tuesta los panes. Unta el aguacate. Reserva.

En un plato coloca la arúgula y añade un poco de aceite de oliva, pizca de sal y gotitas de limón. Masajea la arúgula con tu mano hasta que quede bien blandita. Coloca sobre el pan con aguacate.

Dora los espárragos en una sartén con un poco de aceite de oliva. En otra sartén estrella los huevos y déjalos cocer según tu preferencia.

Coloca el huevo sobre el pan con los espárragos y la cebolla. Vierte la salsa de jalapeño. Disfruta.

Napoleón

1 rebanada de pan sourdough (pan de masa madre)
½ aguacate molido
2 rebanadas de queso mozzarella
7 tomates cherrie rebanados
1 cucharada de pesto
½ cucharadita de aceite de oliva
½ cucharadita de vinagre balsámico
Sal
Pimienta

Tuesta el pan. Unta el aguacate. Agrega el queso y los tomates. Pon el aceite de oliva, el vinagre balsámico, el pesto, sal y pimienta al gusto.

Hornea a 350 grados Fahrenheit (170 grados centígrados) durante 15 minutos. Disfruta.

TOASTS

Our souls are connected to the land we love so dear where generations have gone before us tilling the land, praying for rain, baking bread in the kitchen from their very own grain. The joy of harvest let us never forget or the hard times endured for our future yet.

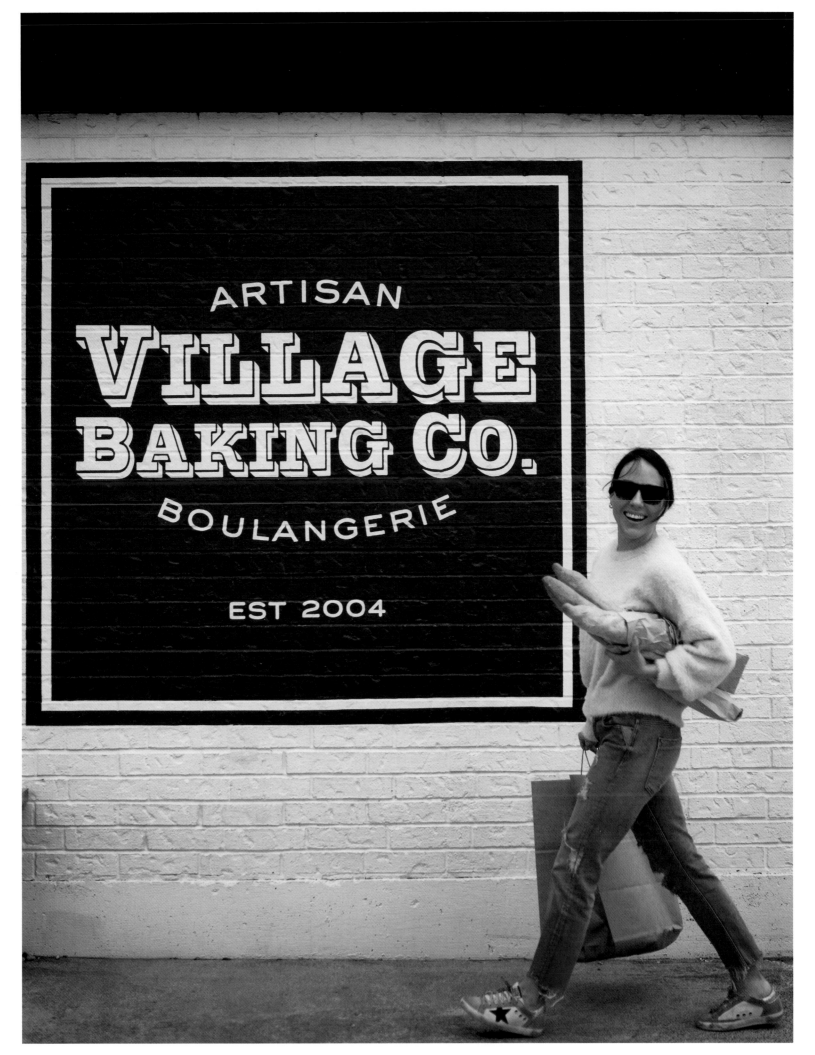

Leonardo

1 rebanada de pan sourdough (pan de masa madre)
½ aguacate molido
1 tomate verde
5 tomates cherry
½ chile serrano en rodajas
1 cucharada de queso feta
Jugo de ½ limón
1 cucharadita de aceite de oliva
Pizca de sazonador de lemon pepper
Sal

Tuesta el pan. Unta el aguacate. Agrega el tomate verde, los tomates cherry y el chile serrano. Espolvorea el queso feta y la pizca de sal, el sazonador lemon pepper y el limón. Agrega una cucharadita de aceite de oliva.

Puedes acompañar con salsa verde.

Sandwiches y wraps

Los días que hago mucho ejercicio o tengo mucha hambre,
opto por comer un sandwich. Hazlo y verás que te encantará.
También te recomiendo que si haces un brunch,
compartas un sandwich bien tostado con una ensalada.
Este desayuno es rico, nutritivo y fácil de hacer. En cuanto a los wraps,
hay cantidad de opciones de tortillas bajas en carbohidratos,
integrales, con verduras, etcétera. Eso depende del gusto de cada quien.

Sincronizada
con pico de gallo

Sincronizada
2 tortillas de maíz
1 rebanada de jamón de pechuga
de pavo
¼ de taza de queso panela
desmenuzado
1 huevo estrellado

Pico de gallo
1 taza de tomate cherry finamente picado
¼ de cebolla morada en cuadritos
½ aguacate en cuadritos
3 cucharadas de cilantro finamente picado
1 cucharadita de aceite de oliva
Jugo de 1 limón
½ cucharadita de vinagre de manzana
Sal
Pimienta

Pico de gallo
Mezcla todos los ingredientes. Salpimenta.

Sincronizada
En un comal, dora las rebanadas de jamón.

Calienta las tortillas. Coloca una rebanada de jamón extendida sobre una tortilla. Añade el queso panela. Tapa con la otra rebanada de jamón. Cubre con la segunda tortilla. Voltea la sincronizada para que ambas tortillas se doren. Retira del fuego. Agrega el huevo. Acompaña con el pico de gallo y disfruta.

En este desayuno, a veces uso tortillas de nopal, que también son deliciosas.

Tostada
breakfast

1 tostada de maíz
½ taza de frijoles guisados y molidos
½ taza de espinacas frescas
1 huevo estrellado
½ jalapeño en rodajas
¼ de aguacate en rebanadas
4 tomates cherry cortados en rodajas
½ cucharadita de chile triturado
1 cucharada de queso feta

Calienta la tortilla. Unta los frijoles. Añade la espinaca. Cubre con el huevo estrellado. Agrega el aguacate, el tomate, el jalapeño, el queso y el chile triturado.
Disfruta.

Para esta tostada, siempre dejo que la tortilla quede
doradita.

Como en otros casos, aquí también puedes utilizar
tortilla de nopal.

Sandwich de huevo estrellado

2 rebanadas de pan integral
1 huevo estrellado
1 cucharadita de mantequilla ghee
1 rebanada de jamón de pechuga de pavo
¼ de taza de queso cheddar
¼ de aguacate molido
Mantequilla

Unta los panes con mantequilla por ambos lados. Dóralos en un comal.

En una sartén, dora la rebanada de jamón y colócalo sobre un pan. Añade el huevo. Agrega el queso y el aguacate. Cubre con el otro pan y disfruta.

Sandwich de ensalada de huevo duro

4 rebanadas de pan integral
½ aguacate molido
2 cucharadas de yogurt griego
1 cucharada de jugo de limón
2 cucharadas de eneldo fresco finamente picado
1 cucharadita de mostaza
4 huevos cocidos picados en cuadritos
½ cucharadita de ajo en polvo
¼ cucharadita de paprika
½ taza de arúgula
Sal
Pimienta

En un bowl, coloca el aguacate, el yogurt, el limón, el eneldo, la paprika, el ajo y la mostaza. Salpimenta y mezcla. Agrega el huevo. Mezcla de nuevo.

Tuesta los panes. Unta la mezcla, agrega la arúgula y disfruta.

Power punch wrap

1 tortilla integral para wrap
2 rebanadas de tocino
1 diente de ajo finamente picado
½ taza de champiñones finamente picados
2 huevos batidos
1 puño de espinaca baby
Sal
Pimienta

En una sartén, dora el tocino hasta que esté crispy. Retira y ponlo sobre una toalla absorbente. Deja que repose 5 minutos. Pícalo en cuadritos. Reserva.

Coloca a fuego medio una sartén con spray antiadherente. Añade el ajo. Dora durante 20 segundos. Añade los champiñones. Dora durante dos minutos más. Salpimenta. Agrega el tocino, los huevos batidos y la espinaca. Mezcla.

En un comal, calienta la tortilla. Coloca la mezcla sobre la tortilla. Enrolla en forma de wrap. Disfruta.

The lean wrap

1 tortilla para wrap
1 cucharadita de aceite de aguacate
1 taza de espinacas finamente picadas
½ taza de clara de huevo
¼ de taza de queso feta
4 tomates deshidratados cortados en juliana
¼ aguacate en rebanadas
Pizca de sal

Pon una sartén a fuego medio. Agrega el aceite, la espinaca y la pizca de sal. Tapa durante 2 minutos. En otro sartén cuece la clara de huevo. Mezcla.

Calienta la tortilla. Añade el huevo, el aguacate, el queso y el tomate. Al final plancha el wrap en un comal. Disfruta.

SANDWICHES Y WRAPS

TIP: Puedes acompañarlo con salsa verde.

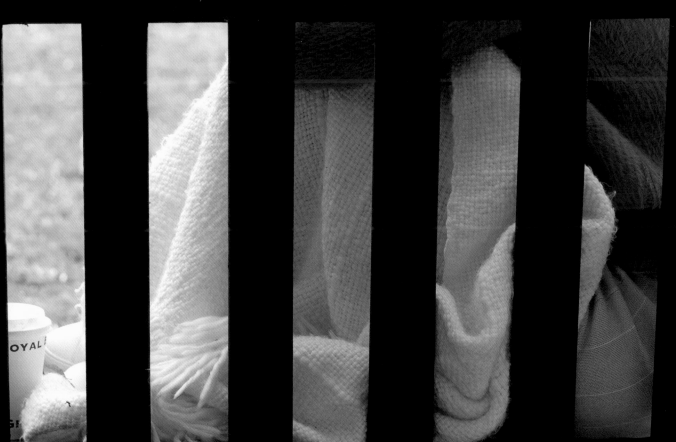

Chilaquiles

En mi casa los domingos son de chilaquiles.
Es el desayuno favorito de mis hijas. Me encantan
los chilaquiles porque los puedes hacer con casi
cualquiera de los ingredientes que tenemos en casa.
Como verás, tú puedes elegir si horneas o fríes la
tortilla, depende de tu antojo.

Healthy migas

Migas
4 tortillas de maíz en cuadritos
1 cucharadita de aceite de aguacate
2 huevos
1 chile serrano sin semilla finamente
picado
¼ de cebolla finamente picada
¼ de aguacate en rebanadas
Sal
Pimienta

Salsa roja
5 tomates
1 chile guajillo
1 diente de ajo
½ cebolla
1 cubo de consomé de tomate

Salsa roja
En un comal tatema los ingredientes de la salsa. Coloca el tomate, la cebolla, el ajo, el chile y
el cubo de consomé en la licuadora a velocidad
media.

Migas
Pon una sartén a fuego medio. Añade el aceite,
el chile y la cebolla. Acitrona durante 2 minutos.
Agrega la tortilla y dora hasta lograr la textu-
ra deseada. Incorpora los huevos. Salpimenta.
Mezcla. Baña las migas con la salsa roja. Sirve.
Agrega el chile y el aguacate. Disfruta.

Me encanta acompañar estas migas con frijoles.

Chilaquiles con verduras

Chilaquiles

10 tortillas de maíz en triángulos
1 huevo estrellado
1 cucharada de aceite de oliva
1 cucharada de aceite de aguacate
1 diente de ajo molido
1 cucharada de queso panela rallado
2 cucharadas de cebolla finamente picada
1 calabacita en cuadritos
¼ de aguacate
1 taza de setas finamente picadas
1 zanahoria picada en cuadritos
½ taza de champiñones
½ aguacate en rodajas
1 cucharada de cilantro picado
Sal
Pimienta

Salsa verde

1 kilo de tomatillos verdes
½ cebolla
1 chile jalapeño
½ manojo de cilantro
1 diente de ajo
1 cubo de consomé de pollo
¼ de taza de aceite de oliva
Sal

Salsa verde

Dora en aceite los tomatillos y el chile durante 10 minutos. Cuando cambien los colores de los tomates, retira la olla del fuego. Coloca los tomates y el chile en una licuadora. Añade el cilantro, la cebolla y el ajo. Agrega el aceite poco a poco conforme se va licuando a velocidad baja. Vierte la salsa en una sartén, agrega el cubo de consomé de pollo y cocina a fuego medio durante 5 minutos. Agrega sal al gusto.

Chilaquiles

Precalienta el horno a 350 grados Fahrenheit (170 grados centígrados).

En una charola para hornear, distribuye las tortillas. Baña con el aceite y una pizca de sal. Hornea durante 5 minutos. Abre el horno y voltea las tortillas para que se doren por los dos lados. Hornea durante 5 minutos más. Reserva

Pon una sartén a fuego medio. Agrega el aceite de aguacate, el ajo y la cebolla. Acitrona durante un minuto. Añade las verduras. Salpimenta. Cocina durante 5 minutos.

Coloca las tortillas en un plato. Añade la mezcla de las verduras, el huevo, el aguacate, el cilantro y el queso panela. Baña con la salsa y disfruta.

Puedes utilizar la freidora de aire para dorar las tortillas. Ponla a 400 grados durante 10 minutos. También puedes dorarlas en un sartén con aceite en spray.

Si quieres que la salsa quede cremosa, agrega medio aguacate y el jugo de 1 limón.

Chilaquiles rojos con pollo

Chilaquiles
10 tortillas de maíz en triángulos
1 cucharada de aceite de oliva
1 ½ taza de pollo deshebrado
2 cucharadas de queso panela rallado o el de tu elección
2 ramitas de cilantro
½ aguacate en rebanadas
1 huevo estrellado

Salsa roja
5 tomates
1 chile guajillo
1 diente de ajo
½ cebolla
1 cubo de consomé de tomate

Salsa roja
En un comal tatema los ingredientes de la salsa. Coloca el tomate, el ajo, la cebolla, el chile y el cubo de consomé en la licuadora a velocidad media.

Chilaquiles
Precalienta el horno a 350 grados Fahrenheit (170 grados centígrados).

En una charola para hornear, distribuye las tortillas. Baña con el aceite y una pizca de sal. Hornea durante 5 minutos. Abre el horno y voltea las tortillas para que se doren por los dos lados. Hornea durante 5 minutos más. También puedes dorarlas en un sartén usando aceite en spray. Sirve las tortillas, el pollo y el huevo estrellado. Agrega el queso panela, el aguacate y el cilantro. Baña con la salsa y disfruta.

También puedes utilizar totopos de nopal.

Chilaquiles de filete en salsa verde

Chilaquiles
10 tortillas de maíz en triángulos
1 cucharada de aceite de oliva
1 ½ taza de filete de res en cubitos
2 cucharadas de queso panela rallado o el de tu elección
¼ de taza de cilantro picado
3 cucharadas de cebolla morada bien picada
1 huevo estrellado

Salsa verde
1 kilo de tomatillo verde
½ cebolla
1 chile jalapeño
½ manojo de cilantro
1 diente de ajo
1 cubo de consomé de pollo
¼ de taza de aceite de oliva
Sal

Salsa verde
Dora en aceite los tomatillos y el chile durante 10 minutos. Cuando cambien los colores de los tomates, retira la olla del fuego. Coloca los tomates y el chile en una licuadora. Añade el cilantro, la cebolla y el ajo. Añade el aceite poco a poco conforme se va licuando a velocidad baja. Vierte la salsa en una sartén, agrega el cubo de consomé de pollo y cocina a fuego medio durante 5 minutos. Agrega sal al gusto.

Chilaquiles
Precalienta el horno a 350 grados Fahrenheit (170 grados centígrados).

En una charola para hornear, distribuye las tortillas. Baña con el aceite y una pizca de sal. Hornea durante 5 minutos. Abre el horno y voltea las tortillas para que se doren por los dos lados. Hornea durante 5 minutos más. También puedes dorarlas en un sartén usando aceite en spray.

Salpimenta la carne. Asa por los dos lados en una sartén. Sirve las tortillas, la carne y el huevo estrellado. Agrega el queso, el cilantro y la cebolla morada. Baña con la salsa y disfruta.

Ext

ras

En este capítulo te comparto cuatro desayunos extras.
Son para cuando tengas tiempo y antojo de experimentar
un poquito más. También te doy la receta de mi mermelada
favorita. Espero que la disfrutes tanto como yo.

Mermelada de frutos rojos

1 taza de frambuesas
2 tazas de fresas lavadas, deshojadas
y finamente picadas
¾ de taza de azúcar morena
½ taza de jugo de naranja
½ cucharadita de extracto de vainilla
1 cucharada de jugo de limón

Con un machacador muele los frutos rojos
hasta la textura deseada. Reserva.

Pon una olla con agua a fuego medio. Añade todos los ingredientes. Al primer hervor,
baja el fuego. Deja en el fuego durante 30
minutos. Menea ocasionalmente. Retira.
Deja enfriar. Vierte en frascos. Guarda
los frascos en el refrigerador y disfruta la
mermelada cuando se te antoje.

Si las fresas no se deshacen, puedes dejar-
las así o molerlas manualmente. Yo lo hago
de una u otra manera, según mi antojo.

Puedes tratar la misma receta con mora
azul, frambuesa y durazno.

Bowl de camote

1 camote en cuadritos
¼ de frijoles negros en bola previamente cocidos
1 cucharada de aceite de aguacate
2 dientes de ajo finamente picados
¼ de cebolla amarilla en cuadritos
2 huevos estrellados
1 ½ tazas de kale picado
1 chile jalapeño finamente picado
½ cucharadita de paprika ahumada en polvo
1 cucharada de eneldo fresco
Sal
Pimienta

Pon una sartén a fuego medio. Incorpora el aceite, el ajo y la cebolla. Sofríe durante un minuto. Añade el camote. Cocina hasta que el camote se sienta casi cocido. Agrega el kale y cocina por 2 minutos. Incorpora los frijoles y la paprika. Salpimenta. Mezcla. Retira del fuego y sirve. Añade el huevo estrellado, el chile y el eneldo. Disfruta.

Pita árabe

2 rebanadas de pan pita
2 cucharadas de hummus
4 cucharadas de jocoque natural
1 cucharada de salsa de chile chipotle
en lata
4 huevos estrellados
2 chiles serranos en rodajas
1 cucharadita de ajonjolí negro
2 cucharaditas de cebollín
finamente picado
2 cucharadas de cebolla morada
finamente picada
½ cucharadita de curry en polvo
Sal

Tuesta el pan. Unta el jocoque y el hummus. Incorpora el huevo. Añade el chile serrano, el chipotle y el ajonjolí negro. Incorpora el cebollín y la cebolla. Añade sal y curry al gusto. Sirve y disfruta.

Cazuela de queso panela en salsa roja

500 gramos de queso panela en cuadritos
4 tomates roma
1 chile verde
1 diente de ajo
½ taza de agua
1 cucharadita de aceite
¼ de cebolla blanca en lajitas
2 cucharadas de cilantro finamente picado
½ aguacate en cuadritos
Sal
Pimienta

En un comal, tatema los tomates, el chile y el diente de ajo. Coloca estos ingredientes en una licuadora. Añade el agua. Licúa. Reserva.

Pon una sartén a fuego medio. Incorpora el aceite y la cebolla. Acitrona. Incorpora la salsa y guisa durante 5 minutos. Salpimenta. Deja que hierva. Reserva.

En otra sartén, dora los cuadritos de queso. Agrega la salsa, el aguacate y el cilantro. Sirve y disfruta.

TIP: Te recomiendo que acompañes este platillo con tostadas.

Huarache de nopal

4 nopales chicos
1 taza de frijoles cocidos y molidos
1 taza de pollo desmenuzado
1 taza de queso panela rallado
2 huevos estrellados
½ aguacate en rebanadas
Pimienta

Asa en un comal los nopales por los dos lados.Cuando estén listos, unta los frijoles. Agrega el pollo, el queso y los huevos. Sirve con el aguacate y pimienta. Disfruta.

Puedes acompañar con pico de gallo.

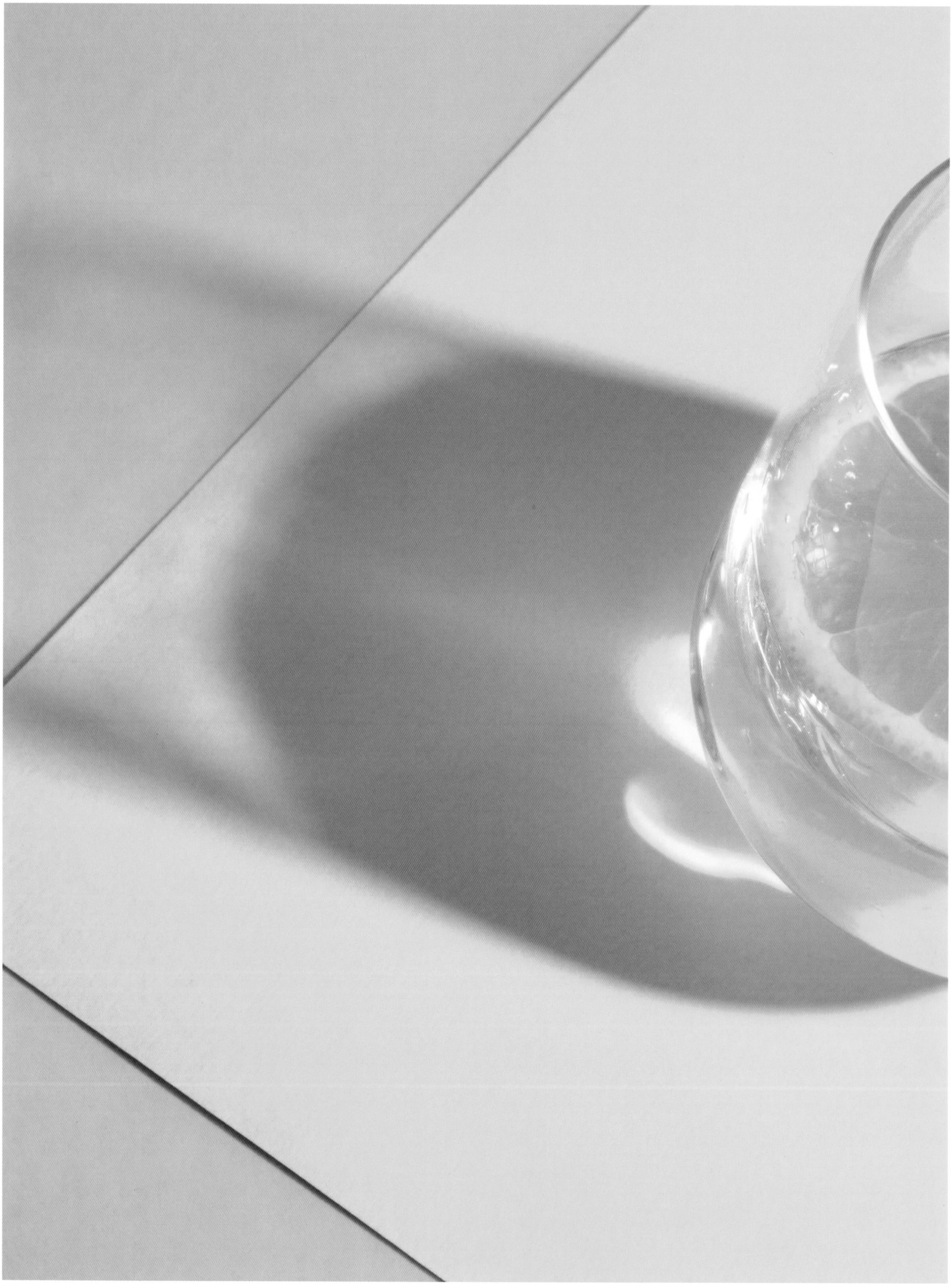

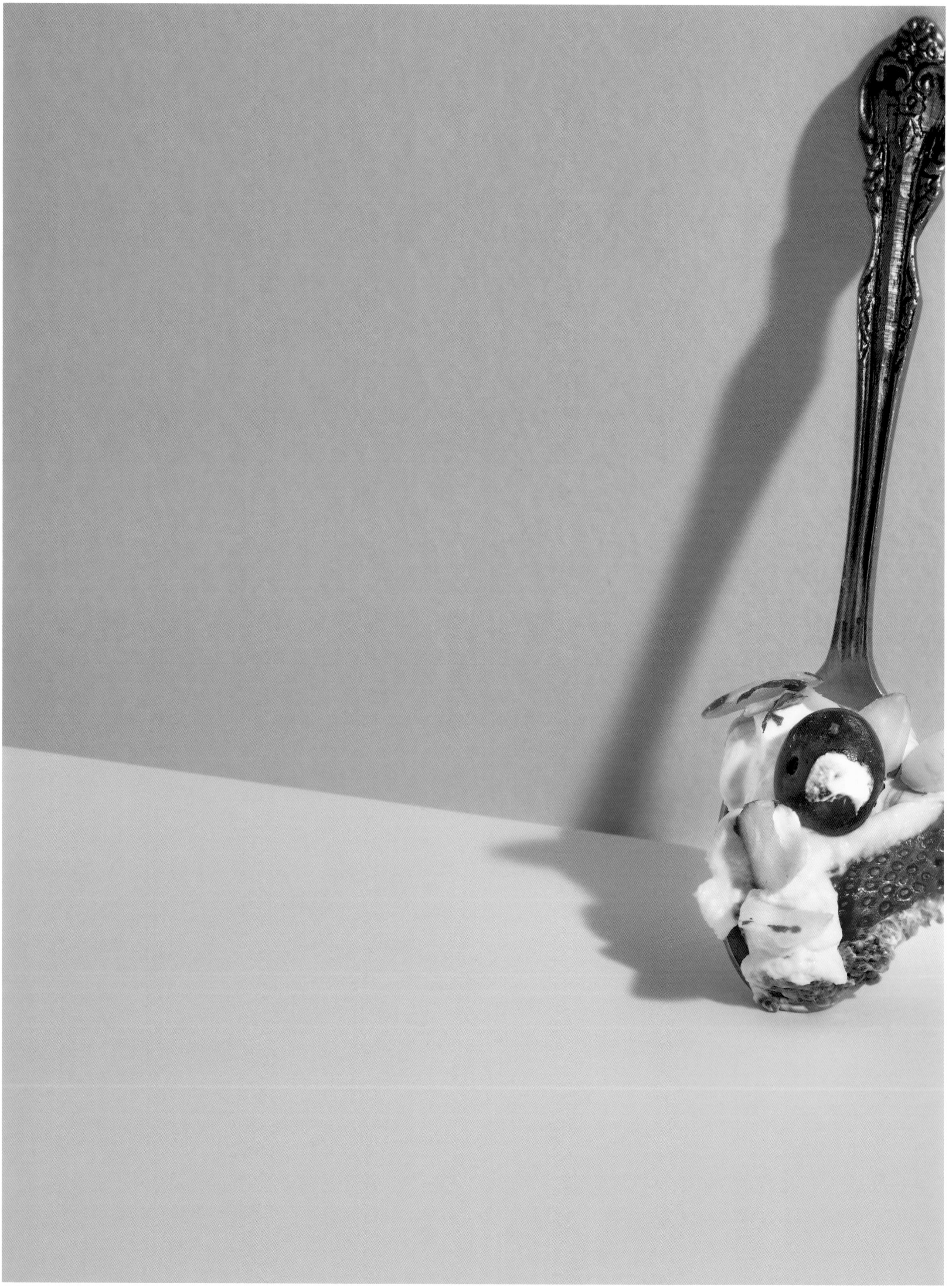

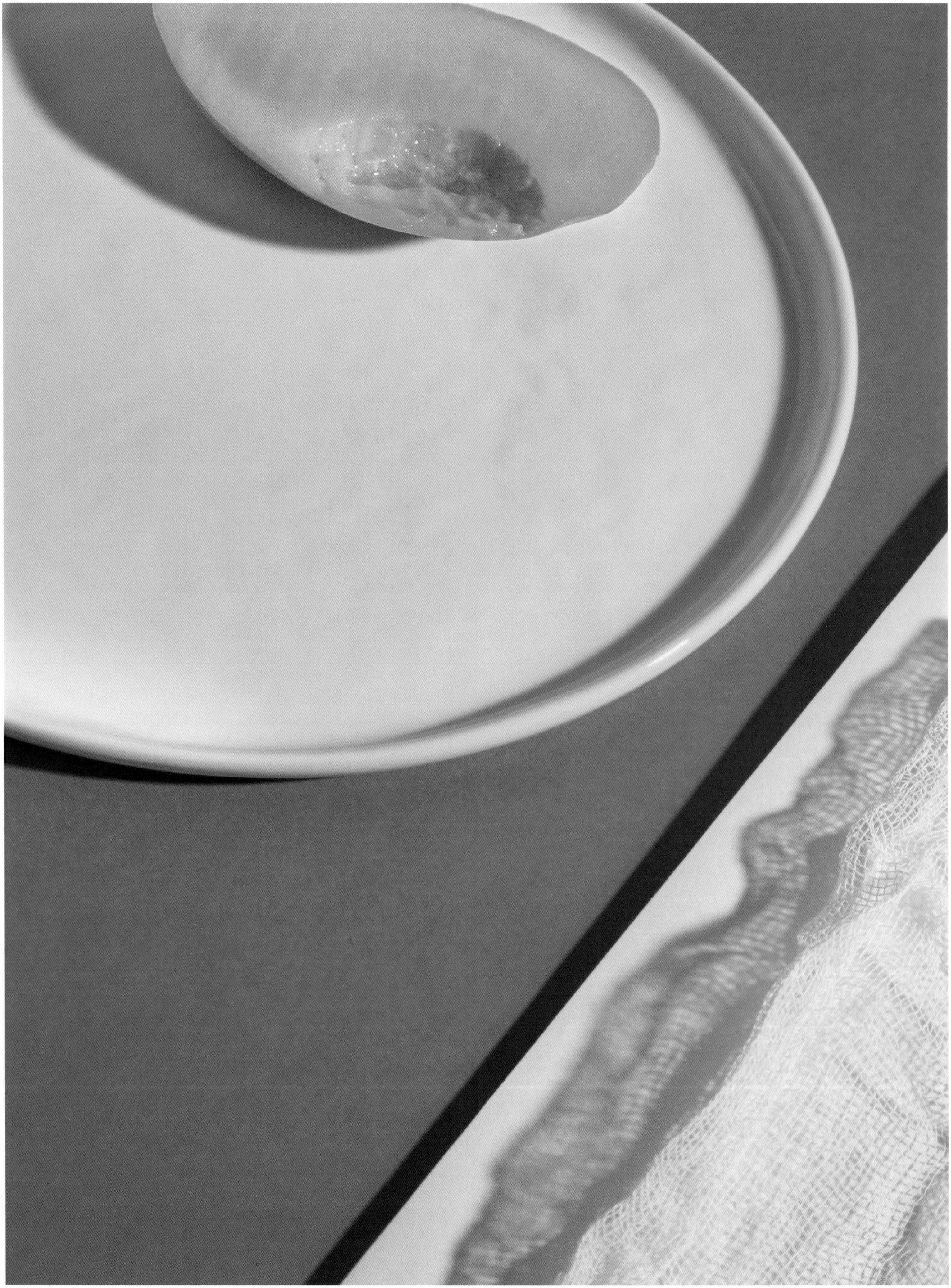